La colección LEER EN ESPAÑOL ha sido concebida
y diseñada por el Departamento de Idiomas
de la Editorial Santillana, S.A.
Mala suerte es una obra original
de **Helena González Vela** y **Antonio Orejudo**
para el Nivel 1 de esta colección.

Ilustración de la portada e interiores: **Zoográfico**

Coordinación editorial: **Elena Moreno**

Dirección editorial: **Silvia Courtier**

Elfo, 32. 28027 Madrid
PRINTED IN SPAIN
Impreso en España por UNIGRAF
Avda. Cámara de la Industria, 38
Móstoles, Madrid
ISBN: 84-294-4045-3
Depósito legal: M-37415-1997

MALA SUERTE

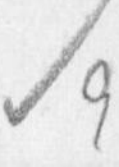

H. GONZÁLEZ VELA
y A. OREJUDO

Colección
LEER EN ESPAÑOL

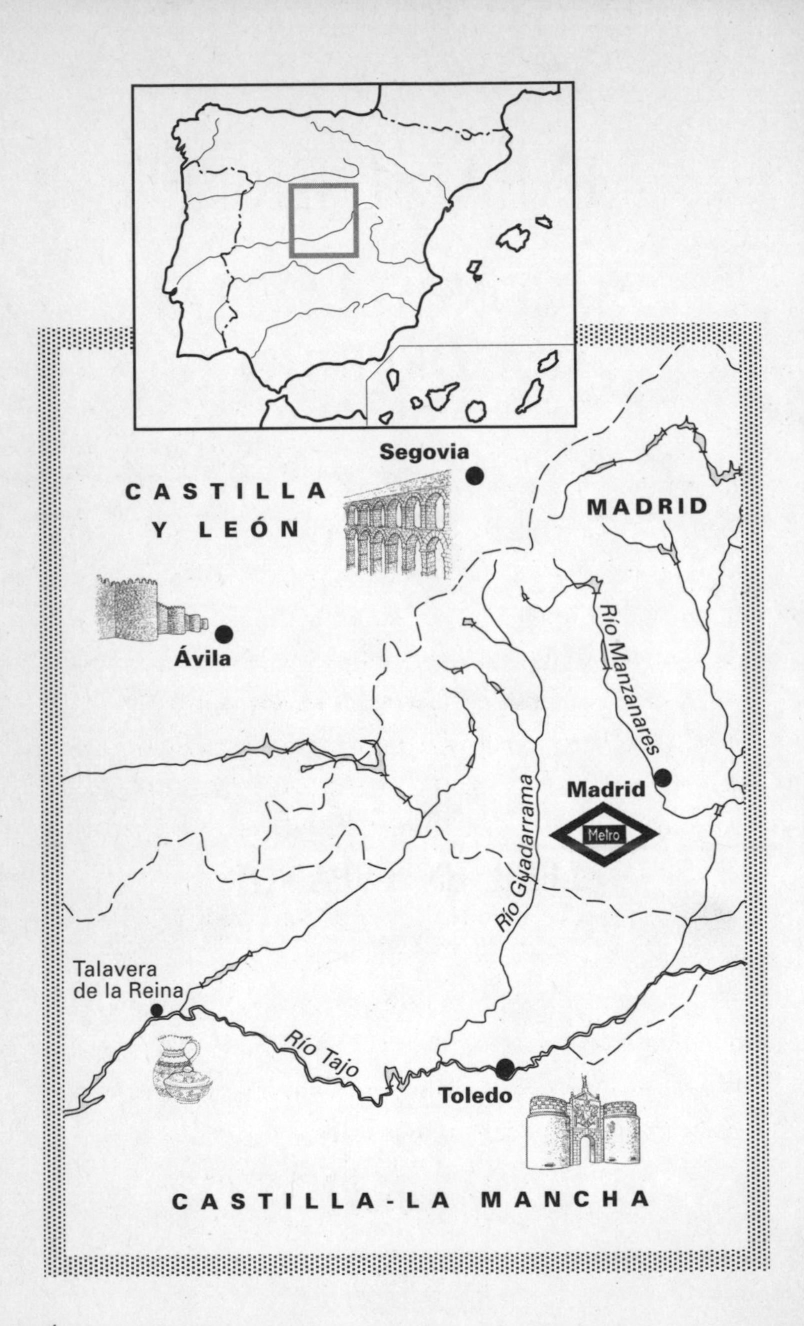
Segovia
CASTILLA
Y LEÓN
MADRID
Ávila
Río Manzanares
Madrid
Metro
Río Guadarrama
Talavera
de la Reina
Río Tajo
Toledo
CASTILLA-LA MANCHA

I

ÁFRICA tiene mala suerte. A muchas personas les pasan cosas raras, pero a África le ocurren siempre. No son muy importantes, pero le pasan casi todos los días. Por ejemplo, siempre olvida las llaves. Éste no es un problema muy grande. A veces todos olvidamos las llaves. Pero ella las olvida un día y otro y otro...

También tiene problemas con el teléfono. Siempre lo oye desde el cuarto de baño. Está en la ducha y ¡driiing! Corre, pero llega demasiado tarde. Además, la última vez, terminó en el suelo, con una pierna rota. Desde ese día no quiere correr. ¿Para qué? Oye el teléfono y se queda sin moverse debajo del agua. Pero así no habla con nadie. Y este problema sí es importante: está perdiendo a todos sus amigos.

África piensa que la mala suerte vive en ella. Está dentro de ella, eso es seguro. África lo sabe muy bien, por eso suspira[1] mucho. Ella suspira; la mala suerte sale por su boca y empiezan a ocurrir cosas raras.

África quiere tener amigos, pero se siente sola. A veces piensa que la gente lee en ella esa mala suerte, y por eso no quiere estar cerca.

Hoy es el primer día en su nuevo trabajo. Empieza a trabajar como taquillera[2] en la estación de metro de Ópera. A la seis de la mañana llega a la estación.

–¿Eres África Talavera? –le pregunta una mujer.

–Sí, señora.

–Yo soy Aurora.

Aurora es una señora mayor. Desde muy joven ha trabajado en la estación de Ópera. Ésta es su última semana. Pero antes de irse, debe explicarle cómo es el trabajo a la nueva taquillera.

–Escucha bien, voy a decirte algo muy importante: debes ser muy simpática con tus compañeros, con la gente de aquí, del metro. Piensa que los vas a ver todos los días. Pero, ¿simpática con los viajeros? ¿Para qué? Te van a preguntar siempre las mismas cosas. Tú, ¿qué puedes hacer? Pues, mirar a otro lugar. Ellos no tienen tiempo de esperar. También puedes mover la boca. No dices nada, pero la gente no lo sabe. Todas las taquilleras hacemos eso. Ahora mira. Pones la mano aquí, ¿ves?, y el billete sale solo. Éste va a ser tu trabajo desde ahora. Es fácil, pero no muy divertido. ¿Tú dónde trabajabas antes?

–En una fábrica de tabaco[3]. Pero ahora los periódicos dicen que fumar es muy malo y por eso la van a cerrar. El dueño[4] no nos ha pagado los tres últimos meses. Dice que no tiene dinero. ¿Puede creerlo? No tiene dinero para nosotros, pero él ha comprado un zoológico natural.

–¿Qué es eso? –pregunta doña Aurora.

–Es uno de esos grandes parques, con muchos animales. Allí los animales se pasean por todas partes; no están en un sitio cerrado como en otros zoos.

–Pues yo pienso que eso es muy peligroso –dice la señora Aurora, muy segura.

–Y yo también. ¿Qué le parece, doña Aurora? Ese hombre sí tiene dinero para unos animales peligrosos y no para su fábrica... Le digo una cosa, no es buena persona. Y eso sólo trae problemas. ¿Sabe usted?, desde la semana pasada no lo ha visto nadie. La policía cree que alguien lo ha secuestrado[5]. Lo dice la televisión a todas horas.

–Pues, hija, tienes muy mala suerte.

África está blanca. ¿Por qué dice eso doña Aurora? ¿Ya conoce su problema? Sólo han hablado cinco minutos...

–¿Por qué? –pregunta, un poco nerviosa.

–El trabajo de taquillera no es muy seguro. Ahora las máquinas lo hacen todo. Son malos tiempos para nosotras; ya hay muy pocas taquilleras en el metro. Pero no es sólo problema nuestro. Los jefes[6] de estación no están mejor que nosotras. Además, a veces pasamos muchas horas solas en la taquilla[2], sin nadie. Y esto es muy peligroso.

–Sí, claro –contesta África, todavía más blanca.

–Los conductores[7] son diferentes. Por el momento su trabajo es más seguro. ¡Alguien debe llevar el tren! Oye, ¿tú estás casada?

–No –África mira al suelo y piensa en su mala suerte.

–Pues ahora vas a conocer a los conductores. Ellos son los más importantes aquí, en el metro. En esta estación los hay muy jóvenes y muy guapos. Mira, por ahí viene uno. Ése se llama Buenaventura[8], Buenaventura Elegido[9]. Es un conductor muy bueno. No está casado, y además ayer ganó[10] los dos premios[11] Súper-Extras[12] en un concurso[13] de la televisión. ¿Qué te parece? ¿Te gusta?

África mira. Un hombre está subiendo por la escalera. Toda su ropa es azul. Anda despacio y mira a todas partes, a la derecha y a la izquierda. Quiere saber si la gente lo conoce. Ayer, ganó los dos premios Súper-Extras en la televisión: un coche y un viaje a África para dos personas. Es un concurso muy difícil. Y él ya es un hombre importante: el primero en la historia del concurso en tener los dos Súper-Extras. Pero a esas horas de la mañana no lo mira nadie; todos tienen sueño o van con mucha prisa. África piensa: ¡Qué feo! ¡No tiene pelo! ¡Y es muy bajo y un poco gordo! ¡Sus gafas también son muy gordas y no me dejan ver sus ojos! ¿Cómo puede ser conductor? ¿Cómo puede ganar un premio en la televisión?

En ese momento, el conductor llega hasta las dos mujeres.

–Buenos días, Buenaventura –dice doña Aurora–. ¡Qué bien contestaste a las preguntas! Y ¡cuánto sabes de animales! Estás contento, ¿no? ¡Ya tienes los dos Súper-Extras!

–Muchas gracias –contesta Buenaventura–, y por favor, no me diga esas cosas... Las preguntas siempre son muy fáciles. Pero sí, estoy contento.

–Claro que sí, hombre. Ah, mira, Buenaventura. Ésta es la nueva taquillera. Se llama África Talavera.

Dos ojos detrás de unas gafas muy gordas miran a África. Es morena y tiene los ojos negros, muy grandes. Buenaventura no quiere mirar más. Delante de las mujeres siempre está nervioso.

–¡Qué bien! Se llama usted África. Y yo tengo dos billetes para África. ¡Qué divertido! ¿No? –dice el conductor, muy rojo.

África no encuentra esto demasiado divertido, pero sonríe.

–Yo me llamo Buenaventura y soy conductor aquí, en el metro –explica después para no parecer tonto.

–Y yo me llamo Ángel Pablo Verbenero –dice alguien detrás de Buenaventura–. Y también trabajo, pero mi oficina está bastante lejos de aquí, ¿saben? Y quiero comprar un billete.

Buenaventura más rojo todavía, pide perdón. Dice adiós y se va con mucha prisa.

II

BUENAVENTURA mira bien el reloj; son las seis y media de la mañana. Todavía medio dormido, pone la televisión muy alta y va al cuarto de baño. Sale poco después, con la ropa ya puesta, y entra en la cocina para preparar el desayuno: café caliente y un poco de pan de ayer. Luego se sienta a comer y ve la televisión. Siempre las mismas cosas. *Un accidente de avión, veinte muertos. Cierra la fábrica más grande de la ciudad, mil personas pierden su trabajo. La policía busca todavía a don José Manuel León Rey*[14]*, dueño del nuevo zoo natural; su familia no lo ha visto desde el pasado sábado; ese día abrió las puertas de su nuevo zoológico natural «El África de Talavera de la Reina*[15]*».*

¡Qué bien, un zoológico más! –piensa Buenaventura.

A él le gustan mucho los animales. Casi todos los fines de semana los pasa en el zoo de la ciudad. Y ahora hay uno nuevo, y además es un zoológico natural, «El África de Talavera de la Reina», como África Talavera, la nueva taquillera...

En este momento, la televisión habla de los problemas del campo. ¡Cuánto le gusta el campo a Buenaventura! Y él todo el día en el metro... Pero bueno, pronto se va a olvidar de la ciudad y de su trabajo, en África. Esta misma tarde debe ir a buscar sus dos billetes. Pero, un momento: ¿dos billetes? Es decir, dos personas. ¿Quién puede ser esa segunda persona? ¿Quién puede ir con él a África? Con esta pregunta en la cabeza sale de casa.

Buenaventura empieza a trabajar a las ocho. A las ocho menos cinco baja las escaleras del metro de Ópera.

–Buenos días, África –Buenaventura ve a la nueva taquillera sola–. ¿Dónde está doña Aurora?

Ahora Buenaventura tiene tiempo para mirar bien a África. Es morena, sí, y tiene los ojos grandes. No es demasiado alta y tiene el pelo largo. A Buenaventura le parece una chica guapa.

–Ayer tuvo un accidente –contesta África.

–¿Un accidente? ¡Qué raro! A doña Aurora nunca le pasa nada malo. Eso dice ella siempre... ¿Y cómo ha sido?

–En las escaleras de su casa. No es muy importante, pero está en cl hospital.

–¡Qué mala suerte!

África mira hacia arriba y suspira. El conductor piensa un momento y luego dice:

–Yo siempre como con ella en un restaurante cerca de aquí... Pero hoy podemos ir los dos, tú y yo. ¿Qué te parece? –Buenaventura, nervioso, habla ahora muy rápido.

A África no le parece demasiado bien, pero no va a hacer nada mejor por la tarde.

–¿Cuántos años crees que tengo?
–No sé, ¿cuarenta? ¿Cuarenta y cinco?

–Bueno... sí... Encantada de ir con usted –contesta.

–Por favor, no me llames de usted, todavía soy joven –dice Buenaventura. Él sabe muy bien que parece más viejo, sin pelo y con esas gafas–. ¿Cuántos años crees que tengo?

–No sé, ¿cuarenta? ¿Cuarenta y cinco?

–¡Cuarenta y cinco! Sólo tengo treinta y uno.

–¡Qué cosas! –contesta África–. Pues, soy más vieja yo. ¡Tengo treinta y dos!

–Pues yo tengo cincuenta y quiero coger el metro antes de los cincuenta y uno –dice alguien–. Por favor, ¿pueden terminar ya? Entro a trabajar dentro de veinte minutos.

Es otra vez el señor Ángel Pablo Verbenero. Buenaventura ve que detrás de él hay muchas personas.

–Parece que tienes trabajo. Me voy. Luego nos vemos.

* * *

Buenaventura está muy contento. Hoy sonríe y baja las escaleras de dos en dos. Entra en el primer vagón[16] y empieza su día de trabajo. Pasa toda la mañana entre las estaciones de Ópera y Príncipe Pío. Va y viene. Va y viene. Ópera. Príncipe Pío. Ópera. Príncipe Pío. Muy despacio, las horas pasan. Diez minutos más y por fin la hora de comer. Pero, en el último viaje, el tren se para.

–¿Qué pasa? –pregunta Buenaventura por el teléfono del conductor.

El jefe de estación le contesta que el tren de delante tiene problemas. Su tren debe esperar veinte minutos. ¡Y él ha quedado para comer con África!

Se va a ir –piensa Buenaventura–, ¡qué mala suerte!

En los vagones, la gente grita[17] muy enfadada. Siempre pasa lo mismo. Todos los días hay problemas y Buenaventura no puede hacer nada. Eso no es nuevo para él.

Cansado de esperar, empieza a tener sueño. Medio dormido ya, vive otra vez el momento más importante del concurso de televisión.

–¡Señoras y señores, por fin llegamos al gran momento! Don Buenaventura Elegido puede ganar los dos Súper-Extras: el coche y el viaje a África D.T. ¿Y qué es África D.T.? Bueno, no vamos a decirlo. No, hasta la semana que viene. Hoy sólo podemos decir tres cosas: es un lugar lleno de animales; está lejos de aquí y a don Buenaventura le va a gustar mucho, seguro. Pero para ganar los dos Súper-Extras debe contestar, con la boca llena de papel de periódico, a estas dos preguntas. ¿Está preparado, don Buenaventura?

Todos lo miran. Sentado en una silla, Buenaventura, con la boca llena de papel, no puede hablar. Sólo puede hacer una cosa para contestar: comerse el papel. No es divertido, pero a veces en la vida debemos hacer cosas así, poco divertidas. Ya está terminando y oye la primera pregunta:

–¿Animal de la familia del cerdo[18], pero mucho más peligroso?

–¡El jabalí[19]! –contesta Buenaventura, muy rápido.

–¡Sí señor, el jabalí, muy bien! Y la segunda pregunta es: ¿Qué animal no olvida nunca?

–¡El elefante[20]!

–¡Muy bien! Señoras y señores, los dos Súper-Extras son para don Buenaventura Elegido. ¡Don Buenaventura Elegido ha ganado los dos Súper-Extras, por primera vez en la historia de nuestro concurso!

Buenaventura está encantado. Es el momento más importante de su vida.

Desde la taquilla, África oye que hay problemas con los trenes. Está segura: es por su culpa[21], por su mala suerte. Por primera vez siente algo por Buenaventura. Piensa en el conductor: allí abajo, solo en su vagón del metro, sin poder salir.

Media hora después, el jefe de estación llama al conductor por teléfono.

–¡Buenaventura! ¡Escucha! ¿Estás dormido? Escucha, ya está todo bien. Ya puedes seguir. ¿Me oyes?

Buenaventura abre los ojos.

–Sí, te oigo, ahora voy –contesta.

Por fin puede llegar a la estación. Ya es la hora de comer. Debe darse mucha prisa. Corre por las escaleras. Y sí, allí está África. La taquillera está esperándolo.

¡Qué bien! ¡No se ha ido! –Buenaventura piensa que tiene mucha suerte.

III

En el restaurante, Buenaventura le habla a África de su vida. Le explica cuánto le gustan los animales. Quiere ir a la Universidad para estudiar algo sobre ellos. Pero, no tiene tiempo. Por eso, está muy contento con el viaje a África. Ya tiene la ropa para ese viaje, el sombrero y los zapatos... Sí, ya está todo preparado, pero sólo hay un problema: no sabe qué hacer con el otro billete.

Buenaventura le explica sus dudas a África, pero ella no lo entiende. No entiende que quiere llevarla a África. Piensa que el feo conductor es muy simpático y que ella se encuentra muy bien con él. Por eso, quiere contarle su problema con la mala suerte. Quiere decirle que la mala suerte va con ella a todas partes. Pero no lo hace. No sabe qué va a pensar. Prefiere hablarle de su familia: es la pequeña de diez hermanos; su madre es muy vieja y oye muy poco. Le habla también de su trabajo en la fábrica de tabaco. Le explica por qué su jefe, el señor León, la cerró.

–¡Qué mala suerte! A veces las personas como tu jefe no piensan en la gente... ¿Sabes qué te digo? ¡Que está muy bien así, secuestrado! –dice Buenaventura, enfadado.

África suspira.

Después de comer Buenaventura le dice:

–Voy a ir a buscar el coche y los billetes del viaje a África. ¿Vienes conmigo?

África contesta que sí y los dos van al centro de la ciudad. En una bonita oficina, una señora los está esperando.

–Buenos días. Soy Buenaventura Elegido. Vengo a buscar los dos premios del concurso de la televisión –dice.

–Ya sé quién es usted, don Buenaventura; siempre veo ese concurso –la señora sonríe–. Estuvo usted muy bien. En mi casa todavía hablamos de eso. Desde luego, es imposible hacerlo mejor. Y comerse el papel para poder contestar...

–Gracias. La verdad es que tuve mucha suerte.

–No quiero hacerlo esperar más. Usted viene a buscar sus Súper-Extras. ¡Y aquí los tiene! El coche está fuera; éstas son sus llaves. Y en este pequeño paquete están sus billetes y unos papeles con todo bien explicado: los días, las horas y esas cosas –les dice la señora–. ¡Buen viaje a los dos!

Buenaventura abre el paquete y empieza a leer.

–Pero, ¿qué es esto? –dice, muy blanco.

África suspira y cierra los ojos. Algo malo está pasando. Otra vez su mala suerte, seguro.

–¿Qué pasa? –pregunta la señora–. ¿Tiene problemas?

–¿Problemas, dice usted? ¿Dónde están mis Súper-Extras? ¿Dónde están mis dos billetes de avión para África?

–¡Dos billetes de avión para África! Usted pide demasiado. Los dos Súper-Extras son un coche, y ya es bastante, y dos billetes para África D.T. Eso está bien claro aquí; mire, lea: D.T., de Talavera. ¡África de Talavera! ¡El nuevo zoo natural «El África de Talavera de la Reina». Es muy bonito y muy interesante. Todos los animales andan por ahí solos; la gente los puede ver desde el coche. ¡Y hay muchos animales, de verdad! Les va a gustar, seguro –explica la señora.

Buenaventura está muy enfadado. ¡Sus dos billetes para África son dos billetes para un zoo natural! No puede creerlo. No va a ir a África con África. ¡Qué mala suerte!

–Sé que estás enfadado –dice ella en la calle–; pero piensa que el premio no es malo. La verdad, tienes mucha suerte: ahora tienes un coche nuevo. Y ese zoo es muy bonito, seguro. Bueno, eso dicen todos. Yo no lo conozco.

Buenaventura no la deja terminar.

–¿Quieres venir conmigo este fin de semana a verlo? –le pregunta–. Podemos ir en mi coche nuevo. ¿Qué te parece?

–Me parece muy bien –contesta ella.

Más contento, Buenaventura lleva a África a casa en su coche. Es muy bonito, rojo. No es demasiado grande, pero para la ciudad es mejor así. Todos sus coches han sido siempre viejos y malos. Y ahora, por primera vez tiene un coche nuevo. Con todas estas cosas está olvidando el viaje a África. Además, África quiere ir con él al zoo natural.

–Muchas gracias por venir conmigo –dice Buenaventura, ya en casa de África–. Es verdad: tengo mucha suerte.

Ella suspira y se baja del coche.

IV

POR fin es domingo. Buenaventura está un poco nervioso: el gran día ha llegado. Entra en el cuarto de baño y se lava. Después se pone la ropa y el sombrero del viaje a África y prepara el desayuno.

La televisión repite las mismas cosas de siempre. *Accidentes. Problemas en la ciudad. Otro día más sin encontrar a don José Manuel León Rey, dueño del nuevo zoo natural. El tiempo: lluvias por la tarde.*

¿Lluvias por la tarde? –piensa Buenaventura–. ¡Qué mala suerte!

Buenaventura sale a la calle. Va a buscar a África en su coche nuevo. La taquillera lo está esperando delante de su casa. Mira al conductor con cara rara. Piensa que su ropa y su sombrero están bien para ir a África, no para ir a Talavera. Pero no dice nada. Ella lleva unos pantalones y una camisa blanca. A Buenaventura le parece que está muy bonita. África sube al coche y suspira.

Buenaventura pone música y canta. Le parece imposible, está yendo al zoo natural con África. Ella sonríe contenta.

La ciudad queda ya bastante lejos.

–El día no puede ser mejor –dice Buenaventura–. No hay demasiados coches y podemos ir rápido. Vamos a llegar muy pronto.

–¡Para! ¡Para! –grita de pronto África.

Por suerte, Buenaventura puede parar a medio metro del coche de delante. Un poco más y tienen un accidente. Delante de ellos sólo ven coches parados. Kilómetros y kilómetros de coches parados. Muchos conductores están fuera. Buenaventura también quiere saber qué está pasando; quita la música y sale.

–¿Qué pasa? ¿Por qué no nos movemos? ¿Ha habido un accidente? –pregunta al conductor de delante.

–No, no. Creo que es un control de la policía. Están buscando a José Manuel León Rey, el dueño del zoológico.

–¡Qué mala suerte! Así, no vamos a llegar nunca –dice Buenaventura.

África pone la música otra vez. Quiere olvidar que todo es por su culpa.

Hora y media después, ya están cerca de la policía. Los coches de delante pasan muy despacio, uno detrás del otro, y la policía los mira. Ahora pasan ellos.

–Usted, por favor, pare a la derecha –dice uno de los policías.

–Pero, ¡qué mala suerte! ¡Entre todos estos coches nos paran a nosotros!

Buenaventura para. Dos policías llegan hasta el coche.

–Buenos días –dicen. Uno de ellos es muy alto y bastante gordo. El otro es muy joven y lleva gafas de sol.

–Buenos días –contesta Buenaventura.

–La documentación[22], por favor –dice el más alto.

Buenaventura le da su documentación. El policía la coge y después mira al conductor.

–Ustedes me conocen, ¿verdad? –sonríe Buenaventura–. He estado en la televisión. Soy Buenaventura Elegido. Gané los dos Súper-Extras en un concurso. Por el momento, no los tiene nadie más en este país.

–Perdón, ¿cómo dice? –le pregunta el policía.

Buenaventura lo repite, muy contento. Los dos policías se miran. Luego miran el sombrero de Buenaventura. Miran la ropa del viaje a África.

–¿De qué está usted hablando? –pregunta el policía de las gafas de sol.

–Del concurso de los martes a las siete de la tarde –explica África–. Este señor ganó los dos Súper-Extras.

–Señora, perdone, pero no tenemos tiempo de escuchar sus historias –dice el policía más alto, sin mirarlos.

Buenaventura y África están rojos. Siguen el viaje sin decir nada. Pasan unos minutos, todavía sin hablar.

–Qué mala suerte estamos teniendo hoy, ¿verdad? –dice por fin, Buenaventura, pero África no contesta.

Hora y media más tarde llegan por fin. Delante de ellos hay un gran cartel.

V

HORA y media más tarde llegan por fin. Delante de ellos hay un gran cartel[23]; en él leen: «ESTÁ USTED EN EL ÁFRICA DE TALAVERA DE LA REINA».

Buenaventura entra en el parque y para el coche. Allí, un hombre les pide los billetes y luego les dice:

–Deben ir despacio, a menos de veinte kilómetros por hora. Está prohibido bajar las ventanas, dar comida a los animales, y también, salir del coche.

–Sí –contesta África–, pero el coche puede tener problemas, y allí en medio, nosotros solos... ¿Qué hacemos?

–Se quedan en el coche y esperan tranquilos. El parque está muy controlado. ¿De acuerdo? Pues, ¡buen viaje por «El África de Talavera»!

El parque es muy grande. Buenaventura piensa que es como muchos países africanos. El coche va muy despacio. África y Buenaventura miran, pero no ven animales. Por fin algo se mueve y Buenaventura grita:

–¡Mira, África, allí lejos, en el agua! ¡Un hipopótamo[24]!

África mira pero sólo ve algo marrón. ¿Cómo lo puede ver Buenaventura, con esas gafas? Mira después a su derecha y ve un animal bastante cerca del coche.

–¡Ay, mira! ¿Qué es eso? ¡Qué animal más negro y qué feo! –dice.

Buenaventura mira y se ríe.

–Es un jabalí. Es de la misma familia que el cerdo, pero los jabalíes pueden ser peligrosos.

–¡Cuánto sabes, Buenaventura! –dice ella, y Buenaventura sonríe. Le gusta mucho oírle decir eso.

El coche va muy despacio. Buenaventura y África lo miran todo con los ojos muy abiertos.

Buenaventura para el coche. Delante de ellos, dos leones muy grandes se pasean sin prisa. Oyen el ruido del coche y miran, muy tranquilos. África hace una foto.

Un poco más lejos, un rinoceronte[25] pasa sin mirarlos; pero luego, un elefante, mucho más simpático, los saluda. Eso dice África, y Buenaventura se ríe mucho. Él le explica que los elefantes no olvidan nunca.

Después, a la izquierda, ven pasar una familia de tigres[26]. África toma otra foto. Todo está siendo muy divertido. Buenaventura y África han olvidado ya los malos momentos de antes, con la policía. Además, los dos se sienten muy bien así, el uno con el otro. Buenaventura piensa que no puede pedir más: no está en África, pero está con África en un parque lleno de animales.

África y Buenaventura lo miran todo y se miran mucho, también; pero no ven que el día está muy negro ahora.

Poco después empieza a llover.

–Está lloviendo, ¡qué mala suerte! –dice Buenaventura–. No veo nada. Voy a poner el coche debajo de esos árboles. Vamos a esperar allí un poco.

Buenaventura va hasta los árboles y para el coche.

–Seguro que la lluvia para pronto.

–La lluvia me gusta mucho. Además, estoy muy bien contigo... –África suspira.

Buenaventura sonríe. Está encantado. Él también se siente muy bien con África. Se miran a los ojos, mucho tiempo, sin decir nada. África sonríe y sonríe. Buenaventura está un poco nervioso. No sabe muy bien qué hacer. África le coge la mano. Buenaventura piensa que debe hacer algo, pero ¿qué? África le sonríe; ahora mucho más cerca. Buenaventura siente calor; quiere tener a África en sus brazos. África le quita las gafas y el sombrero, y Buenaventura está todavía más nervioso. Ahora sus caras están muy cerca y África busca su boca...

Pero en ese momento, oyen un ruido. Los dos vuelven a su sitio. Algo pasa en la parte de arriba del coche.

–Seguro que es algo del árbol –dice Buenaventura, y se pone las gafas–. Voy a ver.

–No, quédate aquí. Está prohibido bajarse del coche.

–Es sólo un minuto, ahora vuel...

Pero Buenaventura no puede terminar. Otra vez ese ruido. Parece que algo o alguien está saltando[27] encima del coche. ¿Pero qué puede ser? ¿Qué pueden ser esos ruidos?

Buenaventura y África se miran. Luego miran hacia delante. Los dos gritan al mismo tiempo: hay una cara, una cara en la ventana. No hay duda ya, son monos[28].

–¡Mi coche, mi coche nuevo, no! –grita Buenaventura.

Los monos oyen a Buenaventura y saltan todavía más. Saltan y gritan. Gritan y llaman a otros monos. Desde otros árboles, desde otras partes del parque, llegan más monos. Todos suben al coche. Todos saltan y gritan. Saltan sin parar. África está muy nerviosa, pero no dice nada. Buenaventura empieza a gritar como los monos.

–¿Qué hacen? ¡Están rompiendo mi coche!

Buenaventura no puede esperar más y sale del coche. Ya fuera, no sabe bien qué hacer. Está muy nervioso; empieza a mover los brazos y a gritar. Cree que así los monos se van a ir. Al principio, sí se paran y lo miran. Ven un mono nuevo, muy raro. No es como ellos, pero se mueve como un mono. En ese momento lo comprenden todo: el mono nuevo quiere jugar. Ocho monos saltan sobre Buenaventura. Ya en el suelo, todos gritan y saltan sobre él, muy contentos.

África, muy nerviosa, empieza a gritar desde el coche. Los monos juegan con el mono nuevo, pero no es como el coche. No hace el mismo ruido. Después de cinco minutos vuelven otra vez al coche. Pero antes, uno de ellos le quita las gafas a Buenaventura. Él grita por última vez; sin sus gafas no ve nada. Por suerte, en el último momento puede cogerlas.

África piensa: ¡Y todo por mi culpa, por mi mala suerte!

VI

BUENAVENTURA y África están esperando en la habitación de una casa. Un hombre del zoológico los ha llevado allí en coche después de ir y venir por todo el parque. Ahora, no saben dónde están.

Buenaventura tiene toda la ropa rota y la cara muy roja. África, en la esquina de la habitación, suspira y mira al suelo.

Después de media hora, la puerta se abre y entran dos hombres: a uno de ellos ya lo conocen, es el hombre de antes, y el otro... el otro es don José Manuel León Rey. África no puede creerlo. Pero sí, es don José Manuel León Rey, el dueño de la fábrica de tabaco.

Claro, éste es su zoo –piensa África–. Pero todo esto es muy raro. ¿Qué hace aquí? La gente cree que está secuestrado... ¡Y está aquí!

–¿Son ellos? –pregunta don José Manuel.

–Sí –contesta el hombre del zoo muy nervioso–. Yo..., yo no quería llamarlo a usted. Ya sé que nos lo ha prohibido, pero... pero... no sabía qué hacer. Están muy enfadados. Y dicen que van a hablar con la televisión...

–¿Es usted el jefe de este hombre? ¡Pues ya está bien! –grita Buenaventura–. ¡No me gusta esperar! Quiero salir

–¡Sus monos han saltado encima de mí! ¡Sus monos me querían matar!

de aquí ahora mismo. Pero antes quiero decirle una cosa: voy a hablar con los periódicos y con la televisión. Voy a decirles que su zoo no es seguro. Voy a explicar a todo el país que usted tiene aquí animales demasiado peligrosos. Soy Buenaventura Elegido y sé mucho de animales. Por eso la gente me va a creer, claro que sí. Éste va a ser el fin de su zoológico.

–Bueno, bueno... Tranquilo –contesta don José Manuel–. Estas cosas pasan a veces. No son raras en parques como éste. Y, ¿por qué va a hablar con los periódicos o con la televisión? Después de todo, no les ha pasado nada.

–¿No me ha pasado nada? ¡Míreme! ¡Mire mi ropa! ¡Mire mi cara! ¿Eso no es nada? ¡Sus monos han saltado encima de mí! ¡Sus monos me querían matar!

–¡Don Buenaventura, por favor! Usted conoce a los animales, ¿no? Eso dice... Pues debe saber también que los monos no matan a los hombres. Sólo quieren jugar. Ahora venga, tranquilo. Vamos a tomar una copa de vino y a hablar.

–No, señor. Yo no bebo. Y conteste a mis preguntas. ¿Qué pasa con mi coche? Mi coche nuevo está roto. ¡Por culpa de sus monos!

–Bueno, bueno. Espere... Tome esta copa. Es un vino muy viejo y muy bueno. Lo tengo aquí para los días y las personas importantes, como usted. Bébalo. Seguro que luego se siente mucho mejor.

–¡Le digo que no bebo! No me gusta el vino. Yo quiero...

–¡Dinero! Usted quiere dinero, ¿verdad? –el señor León parece ahora muy enfadado–. ¿Cuánto dinero quiere por su coche? ¡Conteste!

Buenaventura no dice nada. No sabe qué contestar. No esperaba esa pregunta.

–¿Cuánto quiere? Diga, ¿cuánto quiere? –pregunta otra vez don José Manuel–. Pida, pida: yo le voy a dar dinero. Y usted no va a hablar con nadie... usted se va a olvidar de la televisión y de los periódicos. Ya sabe cómo es esa gente. Sólo les importa vender. Pues diga, ¿cuánto quiere?

África mira a Buenaventura. Éste no sabe qué hacer. No ha pensado nunca en algo así.

–Bueno, yo no sé... –dice, con muchas dudas.

–¿Le parece bien esto? –el señor León escribe un número en un papel–. ¿Es bastante?

Buenaventura lee el número y se queda con la boca abierta. Muy rápido, sin pensar, coge el vaso de vino y lo bebe todo.

–Está bien –dice–. Pero, ¿cómo nos vamos a casa?

–Ése es su problema –contesta el señor León.

–¡Usted es una mala persona! –grita África en ese momento. Don José Manuel la mira por primera vez.

–Usted no sabe quién soy yo. Pero yo lo conozco. Trabajé en su fábrica de tabaco. Usted es don José Manuel León Rey. La policía lo está buscando. Todos creen que está secuestrado.

–Sí, algo he oído sobre eso... –el señor León empieza a reír–. Pero yo no estoy secuestrado. No estoy en peligro. Ya lo ven –dice después–. Tengo mucho trabajo y por eso me paso las veinticuatro horas del día aquí, en mi nuevo zoo. No he podido llamar a casa y claro, mi mujer, muy nerviosa, ha llamado a la policía.

–¡Ya! ¿Y cuándo piensa llamar a su mujer? –pregunta África.

–Todavía es pronto. La televisión y los periódicos deben hablar de mí un poco más. Otras dos semanas más así y todo el país me va a conocer. Eso está muy bien para mi nuevo zoo –sonríe.

–¡Es usted peor que sus animales! –le grita África.

Don José Manuel la mira sin decir nada.

–Dentro de un momento van a tener su dinero –dice por fin–. Ya saben, no deben hablar de esto con nadie. Y no quiero verlos nunca más por aquí. Buenas tardes.

VII

BUENAVENTURA y África vuelven a casa en el coche nuevo, pero ahora parece muy viejo.

–Bueno, el coche anda, más o menos –dice Buenaventura–. Y además, ahora tenemos mucho dinero.

–Hay cosas más importantes que el dinero –contesta África, todavía enfadada.

–Es verdad, pero no vamos a pensar en las cosas malas, ¿no? Quiero olvidarme de esos monos para siempre. Sólo quiero pensar en una cosa: por primera vez en mi vida tengo dinero, y... estoy contigo. Esta noche vamos a ir al mejor restaurante de la ciudad. ¿Qué te parece?

–Pues no sé, Buenaventura –contesta África, un poco más contenta–. Yo no tengo ropa para ir a esos sitios...

–¿No? Pues es muy fácil. Vamos a ir a las mejores tiendas y te voy a comprar unos vestidos muy bonitos. ¿Quieres?

–Muy bien. Además, creo que por hoy no puede pasarnos nada más –África suspira.

En este momento los dos oyen un ruido muy grande. Allí delante, dos coches han tenido un accidente.

–¡Para, para, por favor, Buenaventura! ¡Vamos a hacer algo por esa gente!

Buenaventura para. Los dos salen del coche y corren al lugar del accidente. Los dueños de los coches ya están fuera. Por suerte, no les ha pasado nada.

–¡Un poco más y me matas! ¿No lo ves? –grita uno de ellos.

–¿Yo? ¿Te mato yo? ¡Tú tienes la culpa!

–¿Yo tengo la culpa? Pero, ¿estás oyendo esto, Marcelina?

–¡Déjalo, Saturnino, deja a ese animal! –dice su mujer–. Vamos a llamar a la policía.

–¡Señora, el animal es su marido! ¡Y usted también!

–¿Cómo dices? ¡Delante de mí, tú no llamas animal a mi mujer! ¡Ahora vas a ver! –grita el primer conductor, y muy enfadado va hacia el segundo.

En ese momento llega Buenaventura. La mujer lo mira. Ve su ropa, toda rota. Ve el sombrero del viaje a África. Pero Buenaventura no parece peligroso. Le grita:

–¡Usted, por favor, haga algo!

Buenaventura se pone en medio de los dos y... un segundo después, sus gafas están en el suelo. Alguien le ha dado un puñetazo[29] en la cara.

–¡Ya estoy cansado de todo! –grita Buenaventura.

Sin sus gafas, no ve nada; parece un niño pequeño. En ese momento, África siente que lo quiere mucho. Sabe que quiere estar siempre con él. Le pone las gafas con cuidado.

Un coche de la policía llega hasta allí.

–¿Qué está ocurriendo? –pregunta uno de los policías.

Todos los miran y África suspira. Son los mismos de esta mañana: el policía alto y gordo y el joven de las gafas de sol.

–¡Pero mira quién está aquí...! ¡El hombre del concurso de la televisión! –dice el joven–. A ver, ¿qué pasa?

Los tres conductores empiezan a hablar a la vez. Los policías no entienden nada.

–Por favor, señores, hablen de uno en uno –dice el policía joven.

Los tres hombres se miran; empiezan a hablar todos otra vez. Pero ahora gritan. El policía ya está cansado.

–¡Muy bien! Ya hemos oído bastante por ahora. Por favor, entren los tres en este coche. Nos vamos a la comisaría[30]. Allí me lo van a contar todo mucho mejor.

–Miren, señores policías, yo no he hecho nada –dice Buenaventura, un poco más tranquilo–. Estos dos hombres han tenido un accidente, pero yo no. Yo sólo quería...

–¡Ah! ¿No? –el policía gordo no lo deja terminar–. ¿Y ese coche rojo no es el coche nuevo de esta mañana? ¿No es su coche?

–Sí, señor.

–Ya. Y usted no ha tenido un accidente, ¿verdad?

–No, señor.

–Claro. ¿Y su ropa, toda rota?

–Pues..., pues mi ropa... Mire, señor policía, lo siento, pero no puedo decirles nada –dice Buenaventura, y después baja la cabeza.

–¿Cómo? ¿No puede decirnos nada? –pregunta el policía–. Explíquese ya o prefiere...

–Sí, señor, claro, señor –contesta, muy nervioso–. Son los monos, señor. Los monos se han subido al coche y han saltado. Luego todos se han subido encima de mí y también han saltado. Por eso mi ropa está rota. Me querían matar, esos animales.

Todos escuchan a Buenaventura con los ojos muy abiertos. Pero no dicen nada. Los policías lo miran de los pies a la cabeza.

–Claro, han sido los monos –sonríe el joven–. Mire, ya sé qué le pasa a usted... ¡Usted está borracho[31]!

–¿Yo borracho? No señor. A mí no me gusta beber. No bebo nunca –contesta Buenaventura, muy enfadado.

–Sí, eso dicen todos los borrachos. Pero vamos a verlo ahora mismo. Gómez, trae el alcoholímetro[32].

–Pero, bueno... Le digo que no estoy borracho. ¡Yo no bebo nunca! –dice Buenaventura–. Mire, éste es el teléfono de mi trabajo. Es la oficina, yo trabajo en el metro. Llame y pregunte.

–No hay más preguntas –contesta, muy duro, el policía–. Ahora abra la boca y sople[33] aquí. Sople.

Buenaventura no puede hacer nada. Los policías no quieren entenderlo. Abre la boca y sopla.

–Vamos a ver... Está claro: borracho. Mira, Gómez, mira esto: borracho, está bien claro.

–¡Arriba las manos! ¡Arriba las manos, ahora mismo! Buenaventura no entiende nada, pero levanta las manos.

–¡Pero es imposible! –grita Buenaventura.

–Todos los borrachos hacen lo mismo: primero beben, y luego dicen que no. Siempre la misma historia.

–No, no es verdad, señor policía –explica Buenaventura–. Escuche, alguien me ha dado dinero por mi coche; por eso he bebido un vaso de vino. Pero sólo un vaso, de verdad.

–Ya, claro –sonríe otra vez el policía–. Alguien le ha dado mucho dinero por su coche, por un coche roto, ¿verdad? ¡Ja! Y, ¿quién es esa persona? ¡Dígame!

–Pues, don José Manuel León Rey, el dueño del nuevo zoo natural.

Después de estas palabras los policías no dicen nada, sólo miran a Buenaventura con una cara muy rara. Luego, todo ocurre muy deprisa. Los conductores y la mujer corren lejos de allí. Los policías, con sus pistolas[34] preparadas, ya casi encima de Buenaventura le gritan:

–¡Arriba las manos! ¡Arriba las manos, ahora mismo!

Él no entiende nada, pero levanta las manos.

–Gómez, creo que ya lo tenemos. Este hombre ha secuestrado al señor León. Llama a la comisaría. Pide más policías. Y usted, ahora mismo va a decirme dónde tiene a don José Manuel. Y mucho cuidado conmigo: quiero la verdad.

Buenaventura no entiende nada. No dice nada. No quiere saber nada. Se sienta, con la cabeza entre las manos.

África no puede creerlo. Por su culpa. Todo por su culpa. Por su mala suerte.

Epílogo

SON las cinco de la mañana. La ciudad duerme. Un hombre anda muy despacio. Es Buenaventura.

La policía ha hablado primero con África. Ella les ha contado la historia del señor León. Después, han estado muchas horas con Buenaventura. Le han hecho preguntas y más preguntas. Pero ahora ya está todo claro. Él no tiene la culpa de nada. La policía por fin lo ha entendido.

Buenaventura tiene mucho sueño y está cansado.

–Pero, ¿dónde está África? –se pregunta.

En ese momento oye un ruido. Parece un coche. Sí, es un taxi. Se para muy cerca y de él sale África. Buenaventura la mira y dice:

–¿Todavía quieres verme? Sólo te traigo mala suerte...

África sonríe y suspira por última vez. Sabe que está diciendo adiós para siempre a su mala suerte. Coge a Buenaventura de la mano y los dos entran en el taxi.

SOBRE LA LECTURA

Para comprobar la comprensión

I

1. *¿Qué le ocurre a África?*

☐ *Que siempre está mala.*
☐ *Que tiene mala suerte.*
☐ *Que no tiene teléfono.*

2. *¿Cuál es el nuevo trabajo de África?*

☐ *Trabaja en una fábrica de tabaco.*
☐ *Trabaja como conductora de metro.*
☐ *Trabaja como taquillera en la estación de Ópera.*

3. *¿Dónde está el dueño del nuevo zoológico natural?*

☐ *Nadie lo sabe. La policía piensa que está secuestrado.*
☐ *Está de vacaciones en Talavera de la Reina.*
☐ *Nadie lo sabe. La policía piensa que está en su fábrica.*

4. *¿Qué ha ganado Buenaventura?*

☐ *Los dos premios Súper-Extras en un concurso de la televisión: un viaje y una casa.*
☐ *Los dos premios Súper-Extras en un concurso de la televisión: un coche y una casa.*
☐ *Los dos premios Súper-Extras en un concurso de la televisión: un viaje y un coche.*

II

5. *¿Qué le ha pasado a doña Aurora?*
   - ☐ *Ha tenido un accidente poco importante y está en su casa.*
   - ☐ *Ha terminado ya su trabajo en el metro y no va a volver más.*
   - ☐ *Ha tenido un accidente poco importante, pero está en el hospital.*

6. *El tren de Buenaventura se para...*
   - ☐ *Porque el tren de delante tiene problemas.*
   - ☐ *Porque Buenaventura no se siente bien.*
   - ☐ *Porque el último vagón se ha roto.*

7. *¿Qué hace Buenaventura en el concurso de la televisión para contestar a las dos preguntas?*
   - ☐ *Quitarse el papel de la boca antes de contestar.*
   - ☐ *Comerse el papel.*
   - ☐ *Nada. No contesta a ninguna pregunta.*

III

8. *¿Qué es África D.T.?*
   - ☐ *«El África de Talavera de la Reina», un nuevo zoo natural.*
   - ☐ *Una tienda de animales.*
   - ☐ *Una parte de África.*

9. *Buenaventura está muy enfadado después de saber que su viaje a África D.T. no es un viaje al continente africano. Pero un poco más tarde está otra vez contento. ¿Por qué?*

- ☐ *Porque por fin tiene un coche nuevo y además África quiere ir con él a cenar.*
- ☐ *Porque África le compra un billete para ir al continente africano.*
- ☐ *Porque por fin tiene un coche nuevo y además África quiere ir con él al zoo natural.*

IV

10. *¿Qué les ocurre a África y a Buenaventura en el viaje a África D.T.?*

- ☐ *Los para la policía para pedir la documentación.*
- ☐ *Tienen un accidente.*
- ☐ *Los para la policía para hacer una fotografía del coche nuevo.*

11. *¿Conocen los policías a Buenaventura?*

- ☐ *Sí, lo vieron en el concurso de la televisión; siempre ven ese concurso.*
- ☐ *No, no lo conocen, y no tienen tiempo de escuchar sus historias.*
- ☐ *No, no lo conocen, pero les parece muy simpático y se van con él al zoo.*

V

12. *¿Qué les dice el hombre que vende los billetes del zoo natural?*

    ☐ *Que está prohibido salir del coche y dar comida a los animales.*

    ☐ *Que pueden bajarse del coche para ver mejor a los animales.*

    ☐ *Que en el zoo pueden comprar comida para los animales.*

13. *¿Qué hay en la parte de arriba del coche?*

    ☐ *Unos monos que saltan.*

    ☐ *Algo del árbol.*

    ☐ *Un tigre.*

14. *¿Qué le ocurre a Buenaventura?*

    ☐ *Que los monos quieren matarlo.*

    ☐ *Que los monos saltan encima de él.*

    ☐ *Que los monos entran en su coche nuevo.*

VI

15. *¿A quién va a buscar el hombre del zoológico?*

    ☐ *A su jefe, don José Manuel León Rey.*

    ☐ *A su jefe, el hombre que vende los billetes en la entrada del zoo.*

    ☐ *No lo sabemos, el texto no lo dice.*

16. *Buenaventura está muy enfadado por el accidente que ha tenido con los monos. ¿Qué quiere hacer?*
    - ☐ *Hablar con doña Aurora para contarle todo.*
    - ☐ *Hablar con la televisión y los periódicos y así conseguir cerrar el zoo.*
    - ☐ *Ir al concurso de la televisión para contar su viaje al zoológico natural.*

17. *Buenaventura no va a contar nada a los periódicos o a la televisión. ¿Qué le quiere dar el señor León por ello?*
    - ☐ *Una botella de un vino muy bueno.*
    - ☐ *Mucho dinero.*
    - ☐ *Un coche nuevo.*

18. *¿Está don José Manuel León Rey secuestrado o en peligro?*
    - ☐ *No, está muy tranquilo en su zoo.*
    - ☐ *No, está de vacaciones en África.*
    - ☐ *Sí, está secuestrado en su zoo.*

19. *En realidad, don José Manuel León Rey no ha dicho a nadie dónde está...*
    - ☐ *Porque quiere ir a África y comprar allí más animales para su nuevo zoológico natural.*
    - ☐ *Porque la televisión y los periódicos deben hablar un poco más de él; así todas las personas van a conocer su nuevo zoo natural.*
    - ☐ *Porque no tiene tiempo para llamar por teléfono.*

VII

20. *¿Buenaventura y África tienen un accidente?*
    - ☐ *Sí, con el coche de delante.*
    - ☐ *No, ellos ven cómo dos coches tienen un accidente.*
    - ☐ *No, vuelven a Madrid sin problemas.*

21. *¿Los policías creen a Buenaventura desde el principio?*
    - ☐ *No, piensan que está borracho.*
    - ☐ *Sí, lo dejan ir.*
    - ☐ *No, piensan que está medio dormido.*

22. *Buenaventura por fin cuenta la historia del señor León. ¿Lo creen entonces los dos policías?*
    - ☐ *Sí, y van con él a buscar al dueño del zoo.*
    - ☐ *No, pero lo dejan ir a su casa.*
    - ☐ *No, piensan que él ha secuestrado a don José Manuel.*

EPÍLOGO

23. *¿Qué ocurre en la comisaría?*
    - ☐ *Que el señor León explica todo a la policía.*
    - ☐ *Que la policía escucha a África y a Buenaventura y por fin entiende toda la historia.*
    - ☐ *Que la policía no cree a nadie.*

24. *¿Consigue África terminar con su mala suerte?*
    - ☐ *Sí, al lado de Buenaventura.*
    - ☐ *No lo sabemos, el texto no lo dice.*
    - ☐ *Sí, y decide no ver más a Buenaventura.*

Para hablar en clase

1. *Siguiendo el tono humorístico de esta historia, ¿cómo cree usted que puede continuar? ¿Qué cree que le va a ocurrir a don José Manuel León Rey? ¿Y a África y a Buenaventura?*

2. *En esta historia todos los personajes tienen unas características muy especiales. ¿Cuál de ellos le parece el más exagerado y cuál el más cercano a la realidad?*

3. *¿Cree usted que África tiene mala suerte o está tan segura de tenerla que la ve en hechos que nos pueden ocurrir a todos? ¿Conoce usted a alguien que, como África, dice tener mala suerte? Esta persona, ¿la tiene o la imagina?*

4. *¿Ha participado alguna vez en un concurso de televisión? ¿Le gustaría hacerlo? Normalmente, ¿ve usted los concursos en la televisión? ¿Por qué?*

5. *¿Qué piensa de los zoológicos? ¿Qué tipo de zoológico le gusta más, los tradicionales, donde los animales viven en espacios cerrados, o los zoológicos naturales como «El África de Talavera de la Reina»? ¿Por qué?*

NOTAS

Estas notas proponen equivalencias o explicaciones que no pretenden agotar el significado de las palabras o expresiones siguientes sino aclararlas en el contexto de *Mala suerte*.

m.: masculino, *f.:* femenino, *inf.:* infinitivo.

taquillera

1 **suspira** (*inf.:* **suspirar**): echa aire para expresar que está preocupada, triste, etc.

2 **taquillera** *f.:* mujer que en la **taquilla** (*f.*), vende los billetes para el metro.

3 **fábrica de tabaco** *f.:* lugar donde se hacen los cigarros y cigarrillos.

4 **dueño** *m.:* persona que tiene o posee algo.

5 **lo ha secuestrado** (*inf.:* **secuestrar**): lo ha cogido y retenido por la fuerza, para pedir dinero u otras cosas por dejarlo libre.

6 **jefes** *m.:* personas que dirigen y organizan el trabajo de otras en una estación del metro, en una empresa, etc.

7 **conductores** *m.:* personas que llevan o **conducen** los trenes del metro, los coches y otros vehículos.

8 **Buenaventura:** nombre del conductor de metro, protagonista de la historia, formado con las palabras **buena** y **ventura** (*f.*), que quieren decir buena suerte.

9 **Elegido** (*inf.:* **elegir**): preferido.

10 **ganó** (*inf.:* **ganar**): recibió, tuvo como **premio** (ver nota 11).

león; el rey de los animales

11 **premios** *m.:* dinero u objetos que se dan por haber hecho algo o por haber sido el mejor.

12 **Súper-Extras:** muy buenos, los mejores. Unión que hacen los autores de dos palabras, que separadas tienen el mismo significado, para indicar, por acumulación, la calidad superior de algo.

13 **concurso** *m.:* juego, competición, conjunto de pruebas para conseguir uno o más **premios** (ver nota 11).

14 **León Rey:** apellidos bastante frecuentes en España. El **león** (*m.*) es un animal salvaje, carnívoro, ágil y fuerte, conocido como «el rey de los animales».

cerdo

15 **El África de Talavera de la Reina:** se trata de un zoológico imaginario.

16 **vagón** *m.:* cada una de las partes del metro o del tren.

17 **grita** (*inf.:* **gritar**): habla muy alto.

18 **cerdo** *m.:* animal doméstico, del que comemos la carne y aprovechamos su cuerpo.

19 **jabalí** *m.:* animal salvaje, parecido al **cerdo** (ver nota 18), con pelo de color oscuro.

20 **elefante** *m.:* animal de África y Asia; el más grande de todos los animales que viven en la Tierra.

21 **culpa** *f.:* responsabilidad que tiene una persona por haber actuado mal, por haber cometido un error o provocado algún daño.

jabalí

hipopótamo

rinoceronte

pistola

22 **documentación** *f.:* papeles oficiales en los que aparecen el nombre, la dirección y otros datos personales de la gente.

23 **cartel** *m.:* palabras o conjunto de palabras que se colocan en un sitio para dar una información.

24 **hipopótamo** *m.:* animal salvaje muy grueso, que vive en los ríos y lagos de África.

25 **rinoceronte** *m.:* animal salvaje con uno o dos cuernos en la cabeza.

26 **tigres** *m.:* animales salvajes y carnívoros de Asia, que tienen el pelo corto de color amarillo y rayas negras.

27 **está saltando** (*inf.:* **saltar**)**:** está levantándose con fuerza del suelo para caer otra vez en el mismo lugar, y también, está dejándose caer de un lugar a otro más abajo.

28 **monos** *m.:* animales muy ágiles, de aspecto parecido al hombre.

29 **puñetazo** *m.:* golpe que se da con el **puño**, es decir, con la mano cerrada.

30 **comisaría** *f.:* oficina de la policía.

31 **borracho:** persona que por haber tomado vino u otras bebidas con alcohol, piensa, habla y se mueve con dificultad.

32 **alcoholímetro** *m.:* aparato para medir la cantidad de alcohol que hay en el aire que echa una persona por la boca.

33 **sople** (*inf.:* **soplar**): eche aire por la boca.

34 **pistolas** *f.:* armas de fuego cortas.